41 明代

西元 1368～1643 年

［注音本］

全新 吳姐姐講歷史故事

吳涵碧◎著

目錄

【第861篇】

楊仕偉半夜驚魂。

楊泰殺了人，他的兒子楊勰跑到京師，找姐夫董序幫忙，希望能夠設法脫罪。董序找到汪直身邊的紅人韋瑛，韋瑛收下了錢，也答應幫忙。

不料，韋瑛這個司法黃牛一轉身，直奔西廠，向汪直報告：『楊勰父子殺人畏罪，攜帶一萬兩黃金到京城來，藏在禮部主事董序的家裡，準備用來行賄逃避刑罰。』

『黃金萬兩？發財的機會來了。』汪直興奮地拍著大腿。

汪直立刻派人前往董宅，把正在呼呼大睡的董序、楊勰逮捕入獄，並且逼著董序交出萬兩黃金，可憐的董序把所有的錢全給了韋瑛，那裡還有金子？西廠的爪牙搜遍董宅不見黃金，於是把董序和楊勰押入西廠。

『董大人，』韋瑛在西廠的一個陰暗的房間中，神情嚴肅地對董序說：『你這件案子關係重大，我會設法保住你的性命，不過，你可千萬不能說出來那一萬兩黃金送給我，否則，嘿嘿……』

『是！是！』董序是個膽子極小的人，早已嚇得魂不附體，連連應諾。

『你在牢裡不許亂說話，問你任何事都回答不知道。』韋瑛用命令的語氣說。

汪直在廳堂上逼問楊勰那一萬兩黃金的下落，楊勰是個公子哥兒，從

沒有見過這等兇惡的場面，嚇得面無人色，跪在地上，兩腿直打哆嗦。

『我把黃金全都交給姐夫了。』楊勰結結巴巴地說。

『胡說！』韋瑛立刻大聲斥責：『我剛才問過董序，他說他不知道有一萬兩黃金。』

『好，楊勰，你不肯說，我把董序找來對質。』汪直板著臉說：『來人啊，帶董序。』

董序披頭散髮被押了進來。

『董序，楊勰可把一萬兩黃金交給你？』汪直厲聲問道。

董序跪在地上全身發抖，聽到汪直冷峻的聲音，嚇得幾乎暈過去，腦海裡立刻想到韋瑛剛才囑咐，便叩頭道：『我不知道，我什麼也不知道。』

『董序既然什麼都不知道，就帶下去吧！』韋瑛對汪直說。

『好，把董序押下去。』汪直揮揮手。

『姐夫！』楊勰回頭望著蹣跚而行的董序，大感恐慌。

汪直一點都沒有料到韋瑛的詭詐，他只以為楊勰捨不得把黃金拿出來，於是一拍桌子：『楊勰，不用刑諒你也不會招，來人啊，用琵琶刑！』

所謂琵琶刑是一種慘酷的刑具，它的形狀可能像琵琶，夾住人的關節，犯人套上『琵琶』，獄卒用力一抽繩索，『琵琶』就收緊，牢牢地夾住犯人身上每一個關節，再抽一次，犯人的關節就會痛得像是脫臼一樣，又抽一次，犯人就會痛得汗如雨下，全身骨頭像是要散掉。

楊勰被上了三次琵琶刑，痛得死去活來，當要第四次抽繩時，楊勰趕快招供：『別再用刑了，黃金萬兩藏在我叔叔兵部主事楊仕偉家中。』

韋瑛立刻率領兵卒到楊仕偉家，當時已是深夜，把楊仕偉夫婦從床上拖了起來，然後就是一陣毒打。

楊仕偉夫婦冬天夜半，閉門家中睡，禍從天上來，迷迷糊糊被打得死去活來，呼天搶地，大哭大叫，夜深人靜聽來，顯得格外地恐怖悽慘。

與楊仕偉比鄰而居的翰林侍講陳音被驚醒，急得爬牆過來一探究竟，他騎在牆壁上一看慘狀，忍不住大叫：『你們擅自侮辱朝臣，難道不怕國法嗎？』

那些錦衣衛的兵卒不甘示弱：『你是什麼人，不怕西廠嗎？』

陳音回答道：『我是翰林陳音。』

『管你甚麼翰林，我們是奉旨來捉人的。』錦衣衛的兵卒向來是目空一切的。

楊仕偉被押解到西廠，汪直問案，楊仕偉一無所知，當然是問不出結果來。

『韋瑛，』汪直伸伸懶腰：『累死人了，這案子就交給你了。』

韋瑛回到囚房，叫獄卒把那已經被折磨得不成人形的楊勰押來，繼續用刑，不久，楊勰便氣絕身亡。

『楊勰，』韋瑛用脚踢了踢楊勰的屍體，輕聲地說：『可不是我殺了你，是那一萬兩黃金要了你的命。』

這案子最後的結局是，殺人兇手楊泰處死刑，董序、楊仕偉因爲親戚關係連坐而被削去官職。

經過這次莫名其妙的案子，兩位主事被削職，使得文武百官對於新設立的西廠刮目相看，東廠仍在，西廠又起，好像是原有一匹狼，又來了一隻虎，空氣裡的血腥味似乎愈來愈濃了。

閱讀心得

【第862篇】覃力朋販賣私鹽。

汪直自從主掌西廠以後，氣燄一天比一天高，更何況他依然身兼御馬監太監。

我們平日稱宦官爲太監，事實上，宦官是一個通名，在明朝，宦官是有各種等級的，最高的一級才能稱之爲太監，一般人用太監通稱宦官，那是以最高的一級來概括全體。

明朝設置在皇宮內的機關，主要是二十四個衙門，其中包括了十二監、四司、八局。御馬監在十二監之中，算是相當重要的職務，因爲他掌管了羽林軍中的騎兵，與司禮監一文一武相提並論。

御馬監地方很大，約在今天北京大學一帶，平日是用來溜馬的曠地。然而到了每個月的四日、十四日、二十四日另有他用。

原來，每月逢四之時，宮門大開，清理垃圾，宦官們趁此機會偷點好東西出來賣，稱之爲『內市』。這一大片『擺地攤』的，統統歸他管轄，因此，汪直對外接觸廣泛，大小宦官都得要讓他三分。

其中有一個南京鎮守太監覃力朋不買汪直的帳，果然就吃到了苦頭。

覃力朋入京進貢，辦完了事，由運河南歸，順便攜帶了一百艘私鹽船，浩浩蕩蕩，一路騷擾，從山東德州到達武成縣，再往前走便是南北貨運最

大的一個稅關——臨清關。

武成縣典吏素來以正直聞名，早就聽說覃力朋沿途打劫，可惡已極。所以，他寒著臉，攔下鹽船，冷冷地詢問：『請問，這批鹽船，可有准予運銷的憑證？』

『你要憑證？』覃力朋隨手拿起一根短棍，對準典吏咧開的大嘴巴，『匡噹』一聲，敲斷三顆門牙，典吏一嘴是血。

典吏身旁的人，挺身而出，口裡喊道：『你怎麼打人？』話還沒有說完，覃力朋只一拳，打得他鮮血迸流，鼻子歪在一邊，覃力朋舉起短棍，又打又捶，把人給打死了。

汪直知道了這件事，把覃力朋逮捕下獄，憲宗頗爲嘉許汪直正直，覃力朋當然是罪有應得，不過，明朝販賣私鹽圖利的，絕不止於覃力朋一人。

中國自漢武帝以來，一直到民國初年，都實施鹽鐵專賣制度。鹽是民生必需品，雖低廉，也是最不可或缺。政府實施專賣，往往可以產生數十倍的利潤，爲歷代政府重要的財政收入。

明朝開國之初，便建立了完整的鹽務制度與組織，產鹽的鹽民稱之爲灶户，凡是灶户一律由政府發給鹽田，以及製鹽用的盤鐵、草盪等用具，免除雜役，發給工資，並且嚴格規定『將餘鹽夾帶出場以及私煎買賣者，處以絞刑。』

俗話説：『賠錢的生意沒人做，殺頭的生意有人做。』販賣私鹽罪不輕，卻有暴利可圖，中國人缺乏公德心，對公家事馬虎，因此，私鹽應運而生。

灶戶生產的私鹽，大多售給『私梟』，『私梟』又稱之爲『鹽匪』，或者『鹽賊』，這些私梟擁有武器，形成一股黑社會的力量。若是遇上社會動亂，甚且揭竿起義，逐鹿中原，我們前面講過的如唐朝的黃巢、五代的錢鏐、元朝的方國珍都是以私梟起家的。

至於官兵，官兵通常是抓不到強盜的，其中理由很多，包括抓不到，不敢抓，或者乾脆包庇鹽梟，擔任耳目，狼狽爲奸。

灶戶與鹽官也互相勾結，反正只要數量到達標準即可，因此，官鹽之中有泥土、有黑灰，甚且故意拌入一些硝石，若不是官鹽『沙土參半，味苦不佳』，如何襯出私鹽『晶瑩潔白，美味入口』？

此外，舟車不便的僻鄉之地，商人不願前往販賣，自然成爲私鹽猖獗之地，私鹽不用繳稅，本輕利厚，又可以物易物，民衆樂於購買，私鹽生意愈做愈興旺。

政府官員不但受賄、縱私，偶爾捉幾個肩挑背負的小民頂罪。甚且有些人乾脆自己下海，也兼差經營私鹽買賣。

明成祖遷都北京，爲了聯絡南北，重建漕運系統，漕運糧船回返，利用空船，夾帶私鹽，皇親國戚與太監利益均沾。

覃力朋就是插了龍旗，沿途騷擾，他的案子到了刑部，刑部以爲『坐以私鹽拒捕，當斬。』但是明憲宗依然出面袒護，覃力朋很幸運地免除刑責。

覃力朋販賣私鹽無罪，更加鼓舞了私鹽盛行，鹽利收入減少，使得財政危機加深。

閱讀心得

【第863篇】

韋瑛強取藥材。

西廠成立之後，汪直在錦衣衛之中，挑選了一百多個善於刺探消息的人加入，無論在規模上、在聲勢上，都遠遠地超過了以往的東廠與錦衣衛。這一百多個小汪直，當然也要千方百計賺取外快，他們想出的方法之一，就是查禁妖書，求取官賞。

有一個通判曹鼎，罷職家居。憲宗成化十三年三月裡，突然有一天，一大早醒來，發現家中被西廠的爪牙團團包圍。

曹鼎大驚失色，披衣而起，慌慌張張地問：『發生了甚麼事？』西廠爪牙不由分說，把曹鼎架了就走，曹鼎這才知道，原來他『匿藏康文秀帶來的妖書』。

『康文秀是誰？我又把妖書藏在哪兒了？』曹鼎平白受冤，頗不甘心。

『康文秀是個瞎子，他把妖書透過你的同鄉王鳳交給了你。』

『那我怎麼不知道？』曹鼎反問。

『哼，用刑之後你就清楚了。』

曹鼎是信佛的，一看到各式各樣的刑具，彷彿想像中的地獄一般，整個人就嚇傻了，他也不明白，一輩子行善，爲何落此下場？佛教中提出關於十八層地獄的理論，原在告誡世人生前行善，以免死後受到地獄輪迴之

苦。不想酷吏竟然把地獄中各種殘忍手段，如剝皮、炮烙、烹煮、剖腹移到人間現實，大肆作惡。

曹鼎受不住折磨，三兩下便命喪黃泉。

曹鼎之後，知縣薛方遭到同樣的誣陷，一命嗚呼。

曹薛兩家同聲喊冤，轟動朝廷，重新審案的結果，證明曹鼎、薛方的確是清白的。於是，左都御史李賓上奏，希望明憲宗能夠『從此以後，明諭規定，凡是謊報妖言者，斬。』但是，一向懦弱怕事的明憲宗不肯，他只輕描淡寫的說了一句：『法律審判今後應該審慎，以免傷害無辜。』

根據明憲宗的裁示，很顯然地，曹鼎、薛方死了就是死了，算他二人倒楣，也不必追究西廠誤殺無辜，憲宗這種和稀泥的作風，讓西廠得到極大的精神鼓舞。於是，虎狼鷹犬更加猖狂，西廠聲勢如日中天。

汪直身邊的紅人韋瑛尤其囂張，到處強行勒索，誰也不敢不聽。有一天，韋瑛遇到了一個硬是不信邪的人，那就是太醫院事方賢。

事情是這樣的，韋瑛三番兩次派人赴太醫索取藥材，而且要的全是最名貴的藥材，如長白山上的千年老參等等，方賢一概不理，並且對人說：『假如人人都如此，我們的藥材豈不一掃而空？到時候誰能負責？』

韋瑛火大了，認爲方賢看他不起，事實上，他心裡也有數，沒有幾人會尊敬他。所以，韋瑛派了人便直衝方家搜尋，理由是，據人密報，方賢手脚不乾淨，必然偷偷把太醫裡的藥材往家中搬運。

一群人東搜西尋鬧了個半天，全無所得。忽然之間，有個爪牙大呼：

『有了，有了，我找到一片沈香。』

所謂沈香，是一種常綠喬木，果實呈卵形，表面長有絨毛，它黑色芳香的脂膏，凝結爲塊，入水能沈，因此稱之爲沈香，可用爲醒腦順氣之用，屬於中等價位。

韋瑛取得沈香，如獲至寶，一口咬定：『這片沈香必然是太醫院公物，方賢私自取用。』其實，韋瑛並沒有證據沈香出自太醫院，但是，方賢就因爲此事，非但丟了官，並且關入西廠大獄。

最最荒唐的是，太醫院事居然由韋瑛接管，韋瑛等於家中開了藥店，轉賣出售，大賺特賺。

韋瑛尚且如此，汪直更是威風八面了。他每次出外，都有一大票隨從，前呼後擁，凡是遇到汪直的，不論是官是民，總是乖乖下馬，改爲步行，表示尊重。

久而久之，即使是朝中大臣，遠遠遇到汪直，總是改道而行，避免麻煩，馬路成爲汪直一人天下，汪直爲此十分自得，太監總是這樣，自卑混雜著自傲，心理永遠不能平衡。

兵部尚書項忠某日早朝時，遙見汪直，卻未避道，堂堂兵部尚書，似乎也不用如此窩囊。汪直毫無教養，當場破口大罵：『你瞎了眼啦？也不曉得讓路？』

早朝完畢，汪直卻餘怒未消，又派了幾個校卒上前侮辱項忠，又叫又跳，項忠只好報之以苦笑。

項忠乃正統七年進士出身，為朝廷立下汗馬功勞，竟然受此侮辱，其他朝臣更不在話下了。

閱讀心得

【第864篇】

商輅檢舉汪直。

自從西廠建立，汪直權勢薰天，恣意刑殺，從成化十三年正月到五月，整個京城成了恐怖世界，全國亦爲之騷亂不安，人人自危。

大學士商輅終於忍耐不住了，他準備聯絡大臣，親自起草，數一數汪直的罪狀。

商輅的老鄉老友張文前來勸阻，他說：『商老啊，你老鄉試第一、會試第一、殿試第一，三元及第，我朝唯你一人，飽讀詩書，難道不曉忠臣總是頭一個被殺害的？何必找自己麻煩？』

『唉，讀聖賢書，所學何事？人人明哲保身，國家焉得不亡，告訴你，我不但要講，而且要講得明明白白，徹徹底底。』商輅依舊堅持。

張文搖搖頭：『拜託，萬歲爺可不比唐太宗，戶部主事周軫不就曾經批評今上是神仙、佛老、外戚、女色、貨利、奇技、淫巧樣樣感興趣，他旁邊又有一個兇悍無比的萬胖子，你說了也是白說。』

『總得有人一試。』商輅相當固執。

『再說，不了解商老的人，會誤以爲你好出風頭，故意博取直聲，求得美名，否則，沒有人會做這種吃力不討好的事。』

商輅泡了一壺茶，好整以暇道：『不如，我說個故事給你聽，有一段

時間，蘇東坡頗好佛道，常與佛印一塊修行、打坐。某日，蘇東坡精神愉快，自覺姿勢正確，如入化境，笑問佛印說：『你看，我像什麼？』

佛印不假思索道：『像一個佛陀。』

蘇東坡大樂。

佛印又腆著大肚皮，反問蘇東坡：『你看，我像什麼？』

『你啊，你像是一塊朽木。』『說罷，哈哈大笑。

晚上回到家，蘇東坡把這番話告訴了蘇小妹，原以爲蘇小妹會誇他機智俏皮，沒想到蘇小妹驚呼：『哥，你才是一塊朽木，佛印心中有佛，見你是佛，他把自己的影像投射到你身上，你的境界比佛印差遠了。』

張老笑道：『敢情商老罵我是塊朽木，我只是希望你事緩則圓。』

商輅長歎一口氣：『根據可靠史料，其實並無蘇小妹，我只是有感而發。說到圓融，誰又願意得罪小人，實不忍見國事敗在汪直一人手中。』

張老不再多言，沈默地走了，他擔心商輅的下場，卻也嫉妒商輅，爲什麼始終堅持正義，絕不同流合污。

商輅果真在憲宗成化十三年五月，聯合了劉珝、劉吉等聯名上奏，奏稿由商輅親自起草，條條列舉汪直十二條大罪狀，結論之中，毫不客氣地指出：『陛下一切委之於汪直，汪直又寄耳目於群小，得專刑殺，擅作威福，殘虐善良。自汪直用事，士大夫不安其職，商賈不安於途，庶民不安於業，若不早日離去，天下安危未可知也。』

奏章呈了上去，憲宗一看，火冒三丈，他不能忍受朝臣如此批評他身邊的人，憲宗對懷恩說：『朕也不過是用了一個太監，何至於一下子就危及天下，你去內閣裡查問一下，看看究竟是誰主稿？趕緊回報。』

懷恩到了內閣，轉達了明憲宗的憤怒與不滿。

『懷司禮，』商輅站出來平靜地說：『汪直所有不法之事，樣樣有案可查，按照規定，朝臣不分大小，有罪皆請旨奉准，方可以逮捕。南京，祖宗根本之地，留守大臣，汪直擅自逮捕，宣府、大同，邊城要害，守備不可一日或缺，汪直一天之中，拿問了五員武將，請問，汪直不去，國家如何不危？』

性情激烈、愛國至深的劉珝氣得嚎啕大哭：『太過分了，昔日王振用事，尚不至於如此跋扈，懷司禮，你一定要稟報皇上，如果皇上非用汪直不可，不如先罷閣臣。』說罷捶胸痛哭，情緒悲憤到達了極點。

對於汪直所作所爲，懷恩知悉不多，見到商輅等人老淚縱橫，素來有情有義的懷恩亦爲之動容，因此，即刻稟報皇帝。

明憲宗正著急地等著回話，並且預備大發一場脾氣。

豈料，懷恩回來，一臉的悲憤，一字不漏地轉述了商輅的回話。

『汪直眞的如此妄爲？』憲宗依然不相信，對懷恩偏向商輅一邊也明顯地表示不滿。

『當然是眞的，劉珝的眼淚豈會是假的？這麼厚厚一冊卷宗，全是汪直不法的行爲，豈會是假的？』

懷恩不自覺地愈說愈大聲，明憲宗震驚了，愣住了……。

閱讀心得

【第865篇】

西廠捲土重來。

汪直作惡多端，朝野震撼，商輅等人以『近日伺察太繁，政令太急，刑網太密，人情疑畏，洶洶不安』爲名，條條列舉十二大項罪狀，上奏憲宗，憲宗派了太監懷恩去調查，果然證據確鑿。

明憲宗被逼得只好下令：『撤銷西廠，東廠依舊。』汪直調回御馬監，韋瑛則遣發到宣化府當苦差。消息傳出，朝野歡聲雷動，甚且有人放鞭炮大大慶祝一番。

可惜，鞭炮放得太早了。

明憲宗心中依然相信汪直，疼愛汪直，汪直回到御馬監，仍舊擔任偵緝的工作。

當然，汪直這次的失敗，他是不會善罷甘休的，身爲太監天生的自卑，加上累積的仇恨，讓他日夜思量如何報復，如何一舉擊垮商輅。汪直想了半天，終於想到『原來商輅拿了楊勰的賄款。』

當初楊泰殺了人，他的兒子楊勰跑到京師，找姐夫董序幫忙，董序把一萬兩黃金交給韋瑛，韋瑛私吞了黃金，卻謊報汪直說賄款不見了，汪直雖然殺掉了楊勰，對於這一萬兩始終是耿耿於懷。

他主意已定，飛報明憲宗，憲宗恍然大悟：『朕還以爲商輅眞的大義

凜然，不想竟然拿了楊勰的錢，難怪！』至於商輅拿取賄款的證據呢？明憲宗沒有追問，他也不想追問。

明憲宗對於西廠戀戀難捨，尤其偏愛汪直來往市井之間，探聽稀奇古怪的醜聞，明憲宗這種癖好，很快就被有心人加以利用。

有一個御史名叫戴縉，年年想升官，年年未進一階，一共熬了九年，發現憲宗心理，於是，他揣摹上意，上了一個奏章：『近年來災變頻繁，沒有聽說過大臣們進何賢人，退何不肖，只有汪直釐奸剔弊，允合公論，只因爲韋瑛行事不軌，革去西廠，實爲可惜。』

戴縉所說的，正是明憲宗心中所想的，自然龍心大悅，一掃多日來的陰霾。既然皇帝心意如此，馬上又有那王億附和，這一回說得更露骨了，他竟然表示：『汪直所行，不獨爲今日法，且可以爲萬世法。』簡直把汪直給捧上了天。

因此，憲宗順從『民意』，在六月十五日，下詔恢復了西廠，距離西廠被廢，僅僅只有三十四天，汪直捲土重來。

朝臣之中，第一個受惠的就是戴縉，他由九年不升的七品御史，一躍而爲從五品的尚寶司少卿，讓其他言官羨慕萬分，紛紛效尤。

朝臣之中，首當其衝，注定會遭到汪直打擊的，那就是史書中形容：『平粹簡重，寬厚有容，臨大事，決大議，毅然莫能奪』的商輅了。

商輅起初聽說憲宗罷西廠，倒還私心竊喜：『今上畢竟良知未泯。』繼而得到消息，汪直誣賴他拿了楊曄的賄款，不免氣極。等到一個月後，西廠竟然又重新設置，商輅徹徹底底地寒了心，從頭到腳失望已極。商輅在西廠重設後的第七天，上了一個奏章，要求退休，告老還鄉，這正中了憲宗的意思，立刻恩准。

商輅傷心、失望地離開了，刑部尚書董方頗爲氣餒，跟著自陳去職。董方走了，都御史李賓大受打擊，也接著提出辭呈，明憲宗一律恩准，於是，兵部尚書薛遠、侍郎滕昭也一個接著一個走了。

一時之間，數十位骨鯁之臣相繼離去，朝中好人一空，剩下的，或無奈，或懦弱，都爭先恐後巴結汪直。

都御史王越素來與汪直走得近，也是衆人羨慕的對象，尚書尹旻想要透過王越認識汪直，王越答應了，尹旻高興得不得了，卻又惶恐萬分，尹旻問王越：『請問，見到汪太監，是不是需要下跪？』

王越一臉不屑的神色，申斥道：『堂堂六卿，豈可以隨便下跪，甘居人下，男兒膝下有黃金。』

尹旻不相信王越的話，買通一個僕人在旁偷看，只見王越一見到汪直，兩脚一軟，膝蓋撲通到地。

一會兒，王越叩頭而出，輪到尹旻等人進入。尹旻一踏入門，立刻直挺挺趴在地下，尹旻一跪，其他人跟著一起跪，汪直見到這些年紀比他長，學問、地位比他高的一起矮了半截，眞正是心花怒放，對尹旻起了帶頭作用，特別誇獎了幾句。

王越知道了，心裡不以爲然，拉著尹旻道：『你如此做，不嫌過分？』

尹旻甩甩衣袖道：『吾不才，效法老兄。』

閱讀心得

【第866篇】

馬文升平亂。

西廠復建，商輅告老還鄉，明憲宗對於這一位輔弼多年的老臣，沒有絲毫的眷戀，看在其他正人君子眼中，覺得心寒，紛紛提出辭呈。

明憲宗對此喜不自禁，從外表看來，憲宗人高馬大，其實內心相當軟弱，尤其面對商輅之時。商輅年紀雖然不小，依舊保有翩翩風采，史書中形容爲『丰姿瓌偉』。明憲宗虧心事做多了，總覺得商輅眼中含有怨懟的不滿，這讓明憲宗渾身不是滋味。

相形之下，明憲宗看到汪直可就樂了。汪直絕不像人們心目中奸邪小人的模樣，他不但年輕俊俏，有白裡透紅的皮膚，而且笑起來健康又燦爛，彷彿全無心機，天眞純潔。所以明憲宗歡喜聽他談論市井傳聞，汪直邊說邊比畫，總能逗得憲宗十分開懷。

西廠恢復了，明憲宗又開始（其實從沒中斷過）午覺醒來，聽汪直報告離奇古怪的新聞。明憲宗對此是樂而不疲，汪直可厭倦了，他到底年輕，他急於想往外闖一闖，掌握更多的權力。

明憲宗成化十三年冬天，遼東發生叛亂，原來，遼東地處北方，有許多邊疆民族，遼東巡撫陳鉞爲了冒功，曾經捕殺許多無辜的外族，這種殘忍的行爲，激起了遼東人的憤怒，遂起而叛亂。

這場叛亂斷斷續續一直不能平定，成化十四年，兵部侍郎馬文升（景泰二年進士出身）上了一個奏章，說陳鉞在遼東貪瀆虐民，激起變亂，並且一條一條列舉了陳鉞十五條罪狀。

汪直聽說了這件事，興奮無比，鬧著要去平撫這件事。

由於茲事體大，明憲宗命令司禮太監懷恩等人召開七人會議討論，懷恩知道汪直這一去準沒幹好事，所以一開頭便說：『仍以派遣大臣前往平亂爲妥當。』

憲宗立刻發布命令派馬文升前往遼東，汪直好失望，跑去找馬文升：『我推薦王英與你一塊兒去遼東。』

馬文升嚴肅地回答：『聖上的旨意要我即刻前往遼東平亂，這是國家大事，我豈可帶私人前往？』

汪直碰了一個不小的釘子，卻又無法反駁，只好恨恨地回來。

馬文升對於兵部之事，如屯田、馬政、邊備、守禦，樣樣不含糊，為人謙和又厚道，所以，當他疾馳到遼東，向作亂的徒眾宣布皇帝的撫慰之意，那些叛亂者受到馬文升的感召，個個都願意歸順。

汪直聽說馬文升辦妥了諸事，準備打道回朝廷了，他心想，我如果立刻趕過去，還可以開開眼界，沾沾功勞，所以，汪直又吵著要去遼東。

俗話說，會鬧的孩子有糖吃，何況汪直一向是明憲宗最歡喜的開心果，萬貴妃又在旁邊為汪直美言，所以，憲宗最後還是答應了汪直，讓他帶著他的新心腹王英一塊前往。

汪直初次出遠門，眞是開心極了，一天跑個幾百里，享受飆馬的快感，沿途對地方官非打即罵，遠近驛站爲之騷然。

陳鉞接到消息，也開始害怕了，他知道汪直是個面善心惡的小人，爲了自保，他趕緊派人賄賂汪直身邊的隨從，並且下令，當汪直到達遼東地區之時，沿路的居民都要跪在路旁迎接，一直到汪直的隊伍走遠了，才可以起立。

哇，這一下子，汪直可是大大開了眼界，過足了癮，看到道路兩旁一排排跪倒的百姓，心裡那種飄飄然的滿足感，眞是筆墨也形容不出來的。汪直忽然覺得自己是個皇帝。他以前遇到跪拜的百姓，那是在憲宗的身邊，現在可不一樣，汪直一路上笑得嘴都合不攏。

尤其讓汪直最感到窩心的是，不但一般民衆趴倒，連陳鉞手下的將士也一律下跪，將士身披鎧甲，下跪不易，有時連皇帝都會體恤將領免跪拜禮，如今，爲了汪直，竟然將士集體匍倒吃夠塵土，汪直簡直就樂壞了。

等到汪直一行靠近了遼東，陳鉞親自前往郊外迎接，見到汪直的隊伍，陳鉞乾脆自己也矮了半截，跪在道旁。

等到汪直住入行館，陳鉞換了便衣小帽，緊跟在汪直身旁，唯唯諾諾，膝蓋打彎，小心伺候，不知情的人，一定以爲汪直身旁新添了小跟班。

接著，陳鉞搬出了上好的酒宴，除了燕窩、銀耳、魚翅、海參之外，還有駝峰、象筋、鹿尾、熊掌全是難得一見的山珍海味，連用餐的器皿，也是選用全國最著名的哥窯出產的上好瓷器。

陳鉞的殷勤，讓汪直眞正感動到極點，想他自幼在萬貴妃身旁當差，受夠了窩囊氣，譬如伺候萬貴妃吃頓飯，就是一大苦刑，除了要忍耐她隨時爆發的壞脾氣，而對著佳肴美食，非但吃不到，還得小心嚥口水，別吞得太大聲，眞正是活受罪啊。

汪直瞅一眼陳鉞，感受到前所未有的滿足與得意，似乎也彌補了身爲太監的遺憾。

閱讀心得

【第867篇】

陳鉞盜墓。

明憲宗成化十四年，陳鉞爲了冒功邀賞，無故騷擾邊部，惹起禍端，汪直很想前往討平，立下邊功。後來，朝廷派遣馬文升到遼東慰撫，汪直大大不高興，汪直請求派他的親信王英跟著馬文升一塊去，馬文升又婉言拒絕，惹得汪直更加不高興。

馬文升的任務很成功，汪直則念念不忘，朝思暮想，在憲宗面前再三請求，終於如願以償，到了關外，再一次招撫，明擺著是想搶馬文升的功勞。

由於陳鉞對汪直百般殷勤，同時，陳鉞也派人分頭賄賂汪直的隨從左右，當汪直酒足飯飽之後，和隨從聊天，隨從們都因爲拿了陳鉞的紅包，猛誇陳鉞如何賢能。

第二天，汪直帶著陳鉞和隨從來到開原，在開原見到了馬文升。

『馬大人，我奉皇上的聖旨前來安撫叛亂。』汪直向馬文升拱拱手。

『汪公公一路辛苦。』馬文升也拱手還禮：『我把汪公公帶來的旨意再向大家宣布。』

其實，亂事前幾天就平定了，馬文升再度向叛亂者宣布皇上的赦免旨意，實在是重複的事。馬文升再宣布一次聖旨，不過是給汪直一個面子而

已。『汪公公，我已向大家宣布皇上聖旨，赦免他們，大家都很感激，高呼萬歲。』馬文升在宣布旨意後，回來對汪直說。

『那很好，皇上希望太平無事，所以既往不咎。』汪直裝模作樣地說。

『皇恩浩蕩。』馬文升說：『汪公公遠道宣慰，才能服眾，這一次平亂的首功應當歸汪公公。』

『馬大人，我怎敢居首功，哈哈。』汪直滿意地笑著，誰都看得出來，他心裡的謙虛是假的。

『汪公公，你該居首功，馬大人說得對。』一位隨從扮著一副笑臉向汪直拍馬屁。

『你是誰？』馬文升板著臉申斥馬屁精：『這裡沒有你說話的份，還不滾下去！』

『他是我的隨從。』汪直趕緊解釋道。

『汪公公的隨從按理也沒有資格在這裡講話。』馬文升不屑地說。

『你看不起我的隨從，還看得起我嗎？』

回到住處之後，汪直怒氣未消，陳鉞進來請安，知道馬文升得罪了汪直，便立刻在汪直面前訴說馬文升如何霸道、如何驕傲。

『好，我回京以後，好好收拾馬文升。』汪直惡狠狠地說。

爲了答謝陳鉞的獻媚，也爲了治一治馬文升的負才使氣，對汪直手下不夠恭敬，汪直把陳鉞在遼東所犯的錯誤，一股腦全部栽到馬文升的頭上去，汪直上奏：『文升行事乖方，禁止邊區互相買賣農器，因而釀成邊患。』

事實上，馬文升是禁止在邊區出售軍器，絕對不是農器，一字之差，差得遠矣。總之，馬文升得罪了汪直，明明有功於朝廷，卻被關入錦衣衛的大牢之中，至於罪魁禍首的陳鉞，反而是平步青雲，一躍而爲尚書。

面對如此不公平的裁決，對文武百官而言，產生一個啓示，得罪了汪直，該死。巴結汪直，升官。於是朝廷大小官員無不對汪直百般取悅。當時人流行一句諺語：『都憲叩頭如搗蒜，侍郎扯腿似燒蔥。』都憲侍郎指朝廷大臣，他們對汪直的恭敬就像對神明一樣。

陳鉞馬屁功夫奏效，再接再厲，慫恿汪直發兵，討伐東北的建州，那是女眞族居住之地，明憲宗很快就答應了。於是汪直監軍，陳鉞參贊軍務，大張旗鼓前往塞外。

汪直一路之上彷彿出了籠的小鳥，又叫又跳，興奮極了，不住地嚷著：『我這一回得多立邊功，一顯身手。』

他們一行，來到了遼東塞外，恰巧遇到六十名貢使，汪直與陳鉞互相擠一擠眼睛，突然下令，把這六十名貢使全給殺了。這些貢使面露笑容，攜帶厚禮，原本存心示好而來，竟然糊裡糊塗被送上了西天，汪直給這六十名冤死鬼定下一個罪名：『窺探邊境，別有圖謀。』

汪直終於立了一樁邊功。

汪直算一算，貢使只有六十人，不過六十個骷髏，他覺得數目太少了，不夠看，腦筋一轉，他對陳鉞說：『不如我們多掘一些墳墓，多砍幾個腦袋。』

『汪公公你眞是聰明絕頂，佩服佩服。』

陳鉞眉開眼笑道：『這叫做不擇手段爭取邊功。』不擇手段原是罵人的話，陳鉞卻拿來當馬屁話，汪直竟然也頗爲受用。

既然是躺在墳墓裡的死人，當然毫無反抗的能力。於是，汪直好整以暇，輕輕鬆鬆，擄獲不少『敵人首級』，興奮地『凱旋』而歸。

這一場東征戰役，明憲宗加汪直歲祿，陳鉞晉升爲戶部尚書，隨行的兩千六百餘人個個有賞，圓滿地完成了『偉大』的任務。

閱讀心得

【第868篇】

王越與家妓。

汪直是太監，對軍事一竅不通，但是，他希望藉著輝煌的戰功，鞏固一己的地位。成化十五年十月，陳鉞慫恿汪直出兵建州的西女眞，結果汪直等人先殺掉貢使，又挖掘墳墓盜取死人首級報功，凱旋還朝。

陳鉞因此升爲戶部尚書，爲了這件不公平的事，王越氣得幾天吃不下一粒飯，他憤憤地抱怨：『就憑陳鉞那個小子，偷了幾個死人腦袋就立了大功。那麼，我這種沙場老將，冒著生命危險，砍了一批活人首級，豈不是更應該加官封爵？』

王越原是能征善戰的官員，卻是進士出身。景帝景泰二年廷試之日，王越應試，寫了一半，忽然吹起一陣怪風，把王越的卷子給吹走了，他重新領了一份，時間已經過了一半，可是，王越仍然在預定的考試時間之內答卷完畢，並且拿了最高分，由此可見，王越的確是肚子裡很有墨水。

英宗天順七年，大同巡撫都御史韓雍被召還回京，英宗找不到可以替代韓雍的人，忍不住喟然而歎氣道：『怎麼樣才能再找到一個韓雍？』

李賢推薦了王越，英宗在殿上召見王越，王越生得又高又帥，那天又特別偉服短袂打扮，一舉一動，乾脆俐落，英氣勃發，漂亮得不得了。英宗相當滿意，立刻拔擢他爲副都御史，前往大同。

從此，王越走向了邊防，王越很能打仗，也很會帶兵。

有一回，他率領一萬騎兵，出了榆林關，晝夜不停走了八百里。忽然之間，起了暴風，灰塵彌漫，軍士們用手擋住眼睛，又餓又睏，士氣低落到達極點，甚且有一個初上戰場的小兵，忍不住嚶嚶地哭了起來。

突然，一位老兵向前，對王越行了一個軍禮：『天贊我軍也，去時順風，敵軍不覺，回返時，遇到追來的敵寇，處下風，乘風擊之，戰無不勝也。』

正在一籌莫展，準備找個地方擋風的王越，聽到識途老兵這一番話，立刻下馬，對老兵深深作揖：『多謝指點，我現在升你爲千戶。』

老兵一聽，以爲自己的耳朵太背，聽錯了，等到確定無誤，連連在地上叩頭。

老兵提供了經驗，王越的說賞就賞，立刻鼓舞了軍隊的士氣。王越將部隊分爲十隊前進，果然在暴風雨之下，大破敵營，獲得大批駝馬器械，從此以後，河套一帶完全平靖。

王越的性情豪邁，表現於另一件事：

有一次，王越準備帶兵西征，行前，面謁秦王，秦王大樂，不但擺出最好的筵席並且請出家妓，奏樂助興。

王越酒酣耳熱，半醉半醒地對秦王說：『下官爲大王效犬馬之勞久矣，不知大王該如何酬謝？』

『噢，那麼你想要甚麼？』秦王順口問道。

『喏。』王越一指家妓：『這一群年輕貌美的女娃兒，我全想要。』秦王有些兒捨不得，但是爲了表示夠意思，大腿一拍道：『好，全給你。』甚至連依偎在秦王身邊，秦王平日最寵愛的小艷，秦王也大手一揮，讓王越全數給帶走。

中國古代社會一直有奴婢，家妓是奴婢的一種，早在唐代，富貴之家就有蓄養家妓的習慣，這些家妓都是年輕貌美的女孩，能歌善舞，當主人宴請賓客之時，主人會命令家妓出來獻歌獻舞。客人看中某個家妓，主人如果大方的話，會把家妓當禮物般送給客人，這是中國古代不合人道的習俗。

有一天晚上，大風大雪，天氣酷寒，王越擁著諸妓們，正在享用涮羊肉，另有十來個家妓則在彈奏琵琶助興，王越心血來潮，引吭高歌，痛快極了。

就在此時，一名小校刺探敵情歸來，小校報告得很仔細，王越聽得很樂。

王越一拍小校的肩膀道：『眞有你的。』接著，捧起金卮，咕嚕咕嚕喝個痛快。

然後，王越又斟滿了酒，遞給小校：『喝啊！』

小校先是不好意思，繼而一飲而盡。

王越再斟酒，小校仰起脖子猛灌，突然之間，小校呆住了。原來，他發現正在彈琵琶的小艷，小艷手裡撫弄著琵琶，一對水汪汪的眼睛，斜著朝上看，嘴角似笑非笑的，似乎也正定定地望著小校。

小校被此絕色震懾住了，酒在唇邊淌下而不覺，整個人彷彿失魂落魄。

王越大喝一聲：『這金卮賜給你。』

小校不料王越有此著，手裡捧著金卮，呆呆站住。

王越又用手指著小艷：『你想得到這個小女子是嗎？賞給你了，你要好好辦事！』

小校一聽，簡直樂瘋了，趴在地上連連磕響頭，王越大笑，就這麼讓小艷跟著小校走了。

由於王越作風豪邁，慷慨大方，因此將士們都願意爲他效死力。但是，王越雖有汗馬功勞，官運卻不濟，怎麼也升不上去，王越急了，改走汪直路線，不但連續送厚禮，甚且不惜跪在地上伺候汪直，果然，馬屁功夫管用，王越終於獲得升官，他準備與陳鉞一較長短。

閱讀心得

【第869篇】

阿丑上演模仿秀。

成化十六年三月，王越謊報亦思馬因騷擾邊疆，憲宗下令，王越領兵，汪直監軍。他們到達邊疆，虛晃一招，立刻凱旋班師而還。汪直春風得意馬蹄疾，一路嚷嚷：『這次回去，又該加祿米了。』所謂祿米，指的是薪俸，中國古代官吏薪俸以米計算，所以稱之爲祿米。

果然，汪直因爲邊功，再加祿米，計算下來，汪直每年已達到四百八十石，而明朝當時一個正一品的文武官祿米歲加，不過僅僅有七十石，也就是說，汪直一個人抵得上七位一品官。

汪直好神氣，輝煌的軍功，彌補了他身爲太監的強烈自卑心理，但是，汪直忘記了他的邊功全是假的，其他的人可沒有忘記啊。

有一位巡按遼東御史強珍忍了又忍，實在忍不下去，他上了一則奏章，源源本本指出汪直作假，謊報軍功，並且把實情一條一條詳詳細細地羅列。

汪直倒也不慌不忙，趕緊指使遼東巡撫王宗彝上書指摘強珍胡言亂語，強調汪直的的確確戰功彪炳。

因爲汪直是明憲宗身邊的人，憲宗雖然心中有點疑問，依然惱怒強珍『打狗也不曉得看主人面』，於是，強珍被扣上『誣陷』的罪名，關入錦衣

衛大獄。

強珍用強硬的手段對付汪直，汪直完全不在乎，倒是另一位憲宗身邊的人——阿丑，上演了一齣諷刺劇，結結實實正中了汪直的要害。

阿丑也是一位宦官，有一回，阿丑在憲宗與萬貴妃面前表演模仿汪直，穿著汪直的衣服，學著汪直的走路姿態，以及誇張的一邊走路，一邊拍手，一邊哈哈笑。

阿丑一出現，明憲宗與萬貴妃就拍手鼓掌，阿丑笑咪咪地走上前，那個卑躬屈膝的模樣，完全是汪直的再版，萬貴妃笑得受不了，滿頭珠翠不斷發出碰撞的聲音。

阿丑走到明憲宗跟前，竟然手裡拿著兩柄鉞，鉞是一種像斧頭的兵器。

旁邊的小宦官問阿丑：『你來到萬歲爺駕前，幹什麼還帶著兩柄鉞？』

『不帶不成啊，我出外帶兵，就靠著二鉞。』

『什麼二鉞？』另一個小宦官問。

阿丑左右搖著腦袋，看著手上的武器道：『當然就是王越與陳鉞啊。』

語畢，全場哄堂大笑，明憲宗也莞爾一笑，其實，汪直那裡是帶兵的將領，汪直只是用王越與陳鉞作幌子來騙軍功，明憲宗豈會不清楚。

阿丑的表演功夫讓憲宗與萬貴妃樂得心花怒放，命令阿丑以後要常表演。

這一回，阿丑表演的是酒鬼的故事。明憲宗與萬貴妃半坐半躺在柔軟的長椅上面，等待著阿丑的表演。

阿丑一出場，立刻引起兩旁看戲的宦官與宮女一陣鬨笑，只見阿丑帽子是歪的，衣襟沒有扣好，手執酒壺，口裡唸唸有詞，卻沒有人聽得懂，他東倒西歪地走到台前，那種醉鬼的模樣，看了眞讓人忍不住要笑。

醉鬼走著走著，忽然被一塊石頭絆倒，摔了一跤，醉鬼坐在地上，破口大罵：『你知道我是誰？我是京城裡的小霸王，誰敢惹我？你這小子竟敢不讓路，你一定是活得不耐煩了，我要殺了你！』

醉鬼的舌頭打捲，說起話來讓人聽了就好笑，接著醉鬼爬起身來，掄起拳頭，準備去打石頭。

這時，一個小宦官扮成市井小民的模樣，急忙跑到醉鬼身邊，拉住醉鬼的袖子道：『大哥，你喝醉了，你爸爸來了，趕快走吧！不然，你爸爸要教訓你。』

『甚麼爸爸？』醉鬼高聲嚷著：『天王老子我也不怕，快，切一盤豬頭肉來下酒。』

醉鬼提著酒壺，不時用口吸著酒壺裡的酒，搖搖晃晃在地上走著。

突然，一群路人急奔過來，經過醉鬼身旁，其中一人對醉鬼說：『你別在路上東搖西晃，皇上御駕到了，你趕快讓路迴避啊。』

『皇上駕到，你還不迴避，你不要命啦？』路人好心地說。

『皇上也不能管我喝酒。』醉鬼提著酒壺，又灌了一口酒：『我知道皇上是個好人，好人不會要我的命的。』

醉鬼說著，又咕嚕咕嚕喝了三口酒，身子一歪，竟然倒了下去，似乎是眞醉了。

這時，一個路人過來，蹲下身來，在醉鬼的耳朵旁說了一句話，醉鬼突然一躍而起，提起酒壺直往前跑，口裡一面大嚷：『趕快跑啊，汪太監來了，我要是擋住他的路，我就死定了。』

看戲的人笑得前仰後合，明憲宗也在笑，但是，笑得可不太自然。阿丑的戲，很明白地指出，現在的人只知有汪太監，而不知有皇帝，也只怕汪太監，而不怕皇帝。

閱讀心得

【第870篇】

尙銘暗箭傷汪直。

明憲宗看完阿丑模仿汪直的戲，一個晚上輾轉難眠，他當然知道汪直在外面張牙舞爪。事實上，他也並不反對汪直狐假虎威，大家對他身邊的人敬重三分，也就代表時時刻刻不忘他是皇帝。

可是，如果像阿丑所模仿的汪直，難道人們已經不怕皇帝，反而畏懼汪直？在狐假虎威的情況之下，老虎並不會討厭狐狸，不過，若是狐狸誤以爲自己威勢已成，不需要老虎在後面撐腰之時，老虎可就不能忍受了。

這種被汪直給比下去的感覺，讓明憲宗相當不舒服。當然，阿丑膽敢挑撥明憲宗和汪直的感情，也是吃了熊心豹子膽，阿丑的背後另有高人指點，那就是太監尚銘。

尚銘原是汪直的心腹，生得憨憨厚厚，傻頭傻腦，似乎話也不會說，只曉得點頭稱是。由於汪直俊俏聰明，特別歡喜呆呆的尚銘，似乎可以凸顯自己的機伶。

汪直近日醉心於建立邊功，經常遠走塞外，汪直就把伺候明憲宗與萬貴妃的差事委託給尚銘。

汪直對尚銘說：『許多事你也辦不來，你就老老實實謹慎當差，如果有甚麼狀況，隨時通知我。』

尚銘點點頭，又恭恭謹謹地再三點頭，彷彿是個啞巴。

汪直拍拍尚銘的肩，有點嫌他蠢，又高興他有點蠢，汪直可沒那麼笨，提拔一個聰慧的太監，萬一與他搶風頭，那還得了。

不過，汪直這一回可看走了眼，尚銘可不像外表一般愚魯啊！

明憲宗萬般不捨批准了汪直出兵塞外，原以爲這段日子可沈悶了，汪直不在，誰來講宮外的閒言閒語解悶。

明憲宗瞅了一眼尚銘，笨笨的模樣，不禁嘆了一口氣，憲宗人胖，又貪吃，午覺醒來，揉揉肚子，好像又餓了，他問尚銘：『有甚麼點心，先端幾碟子來。』

尚銘不出聲，趕緊端來好幾色點心，都是憲宗平日最歡喜的，憲宗誇獎道：『看不出你這麼細心。』

尚銘接口：『萬歲爺聽奴才說一段最近京城裡傳得滿天飛的怪事。』

『噢！你還會說話？朕以爲你不開口的。』憲宗好意外。

等到尚銘一開講，不但憲宗嚇了一跳，連萬貴妃都一臉不可置信的表情。原來，外表忠厚的尚銘，竟然一肚子的男盜女娼，言語低級，表情下流，簡直是汪直沒法比的。憲宗覺得好新鮮好刺激，他驚喜交迸地指著尚銘：『看不出，看不出，你那兒學來的？』

尚銘表演過一段，一抹臉，又回到原先憨厚的模樣，並且絞了一把熱毛巾讓憲宗敷臉。

萬貴妃一向說風是風，說雨是雨，可是看到尚銘變臉之快速比一流演員猶有過之，忍不住輕聲說道：『汪直一定沒有看過你的本事。』尚銘摸不清萬貴妃的話是讚賞還是諷刺，只得向萬貴妃叩頭行了一個禮，又不講話了。

老實說，汪直那一套公公偷看媳婦的戲，已經講了太多回，憲宗有些膩了。因此，尚銘的新玩意，正好掌握了憲宗喜新厭舊的心理，於是，在憲宗的心目之中，尚銘的行情逐漸上漲。

正在此時，有一個盜賊潛入皇宮，被尚銘逮著，憲宗大為高興，厚厚地獎賞尚銘。

汪直回到京城，聽說尚銘逮住侵入皇宮的盜賊，皇上給予厚賞，心中大為不樂，立刻差人把尚銘找來，鐵青著臉訓斥尚銘：『你是我的人，大內發生這麼大的事，你不先向我報告，居然直接當面稟報萬歲爺，你還要不要命？』

尚銘知道汪直在懷恨自己搶了捕盜之功，這事如果讓汪直去報告皇上，功勞當然歸汪直所有。於是，尚銘趕緊低下頭，裝出一副無辜和茫然的樣子。

尚銘知道背叛汪直的後果嚴重，不過，尚銘也早就學會了汪直的心狠手辣，他指使阿丑演戲，他還搜集了汪直不法的證據，尤其是汪直在有意無意之中，不小心洩露的宮中隱秘，全部報告了憲宗，使得憲宗十分惱火。

汪直的噩運開始降臨。

成化十七年，汪直在北方巡邊完畢後，請求班師還朝，意外地，憲宗不許汪直回北京。兵部尚書陳鉞再度請求，憲宗還是不許。

明憲宗已經不再寵愛汪直，他也不願意汪直回來，又嚕哩嚕囌前來抗爭，乾脆，眼不見爲淨，就讓汪直留在外頭吧。

成化十八年，在尚銘、萬安一再請求之下，憲宗批准罷西廠，接著，陳鉞被免職，王越調至延綏鎮守。

這時，朝廷都嗅到了汪直失勢的氣息，於是，言官上奏憲宗，彈劾汪直八大罪狀『一、負恩欺罔，二、冒功濫殺，三、侵盜帑金，四、誣善獎奸，五、擅作威福，六、招納無籍，七、朋邪亂政，八、妄開邊釁。』於是，明憲宗把汪直調爲南京御馬監，汪直的力量正式瓦解。

閱讀心得

【第871篇】

曾彥狀元及第。

阿丑上演模仿秀，讓明憲宗清清楚楚看到了汪直的嘴臉，促成了汪直的下台。

這件事帶給阿丑莫大的鼓舞，阿丑雖然是宦官，卻是宦官中少見具有道德勇氣的人，他決定逮著機會，好好點一點明憲宗，希望能把這個迷糊的皇帝點醒。

有一回，阿丑扮演一個儒生，他手裡拿著一卷詩書，緩緩地走出來，阿丑那一本正經、煞有介事的模樣，與阿丑平日嘻嘻哈哈的調調完全不同，因此他一出場，大夥全笑開了。

阿丑伸長了脖子，高聲吟哦：『六千兵散楚歌聲。』

西楚霸王項羽麾下有八千子弟兵，而不是六千，所以，立刻有人衝口而出：『錯了，是八千，而不是六千。』

『沒錯，原該是八千。不過，有兩千兵在保國公家蓋房子，正忙著哩。』阿丑笑咪咪地加以解釋。

保國公乃朱永是也，朱永功績不小，曾經前後八佩將軍印，內總十二團營兼掌都督府，他當時掌軍營，的確是調了不少兵，爲他大修土木，蓋一座豪華的宅第。

憲宗知道阿丑意有所指，第二天，派了一個小太監去調查，小太監認爲這是賺外快的好機會，把阿丑上演的戲報告了朱永。朱永大吃一驚，趕快包了一個特大號的紅包，打發了小太監。

小太監拿了朱永的好處，自然在憲宗面前美言幾句：『阿丑演戲歸演戲，當不得眞，保國公一心保國，萬歲爺不必多慮。』

明憲宗反正是個昏君，保國公的事，他也懶得再追究下去。

阿丑覺得頗爲遺憾，忍不住又上演了一齣比較辛辣的新戲。這一回，阿丑扮成一個大官，威風赫赫地選派人員出差。

阿丑問頭一個：『你叫甚麼名字？』

『公論。』

阿丑喝一句：『公論於今無用。』

阿丑再問下一個：『你什麼名字？』

『公道。』

『公道於今亦不可行。』阿丑搖搖頭。

下面，輪到第三個人，他說自己：『名爲糊塗。』

阿丑霍地自椅子彈起：『糊塗好，糊塗正當道。』

明憲宗雖然胸無點墨，當然知道阿丑是在諷刺他。明憲宗倒也不生氣，只是淡淡地微笑，當做沒這件事。

由於明憲宗凡事和稀泥，他手下的官員也乘機混水摸魚，譬如自稱爲萬貴妃姪兒的萬安，便是其中一例。

在明史萬安傳中，記載萬安在政二十年，每次遇到考試，他必令其門生爲考官，上下其手的結果，使得他子孫甥婿，輪流登第，尤其荒唐的是，竟然連狀元都出了問題。

嘉靖年間的陸粲，曾經在筆記〈庚己篇〉中，記載這麼一段故事：

有一個人名叫曾彥，從年輕時代開始考科舉，屢試屢敗，曾彥始終不曾氣餒，一直考到六十歲那年，竟然奪得狀元。

按明朝的科舉制度是這樣的：每三年舉行一次，各地學生齊集所屬的省分參加考試，謂之『鄉試』，『鄉試』考中的稱爲『舉人』。

第二年，各省舉人集中在京師，參加禮部所舉行的『會試』，考中的叫做『進士』，再由天子舉行一次『殿試』，品定名次，分爲一二三甲。一甲只取三人，第一名稱『狀元』，第二名稱『榜眼』，第三名稱『探花』，都賜『進士及第』，因此一般稱爲狀元及第。

這一會兒殿試時館閣諸公們看了半天卷子，沒有一篇寫得精采，天氣酷熱，揮汗閱卷，大家都有點兒吃不消。

忽然之間，萬安大呼：『這兒有一篇的確是超拔之作。』

於是，衆人傳觀，人人讚好，有人說：『委婉流暢。』有人說：『持論正大，令人信服。』有人說：『文章簡潔明確，深刻有力。』……說到後來，竟然有人說：『作者手筆不凡，可爲一代宗師。』簡直就給捧上了天。

這份卷子，就是曾彥所寫。

依照慣例，皇帝賜進士的前一天，所有當選的進士都聚集在禮部閣老堂中，由閣老們觀察一下進士的儀表。

萬安見到了曾彥，出來向人誇口：『曾彥面目英俊，臉如冠玉，斯文有禮，眞正一表人才，慶幸朝廷得人。』

既然曾彥文采風流，人又長得體面，當然狀元非他莫屬了。

等到放榜以後，人們一見曾彥，嚇了一大跳，怎麼換了一個模樣，滿臉麻皮，圓睜怪眼，腮邊的濃髯彷彿刺蝟，眞是又老又醜又枯又瘦。

萬安也大吃一驚，再調原來寫的卷子，也是平淡無奇。

於是，有人說，曾彥一定祖上有德，神仙顯靈，其實呢，不過是曾彥年歲已大，急求功名，用錢打發了萬安，方才演出這一幕劇。

中國古代，樣樣不公不平，唯有科舉掄才素來公正，如今連科舉試場也舞弊，由此可見明憲宗成化年間風氣如何了。

閱讀心得

【第872篇】

錢能敲詐檳榔王。

太監汪直，原本深受明憲宗的喜愛，但是，他年少氣盛，不甘寂寞，竟然想立邊功。太監之得寵，無非巧言令色、低三下四、諂媚主子，替代性相當高，所以，太監尚銘很快地取代了汪直的位置。

汪直垮台，太監梁芳少了一個勁敵，梁芳原本就是萬貴妃面前的紅人，梁芳的走紅是一天到晚呈獻珍珠瑪瑙翡翠給萬貴妃，萬貴妃是個愛慕虛榮又俗氣的女人，全身上下珠玉圍繞，走起路來錚錚有聲，萬貴妃覺得這樣才夠氣派。梁芳藉著爲萬貴妃採集珠寶之名，分派黨羽駐在全國各地。

明憲宗並非不知道梁芳在玩花樣，只不過因爲是萬貴妃喜歡的，他也不便多說。另一方面，明憲宗認爲自己是胸襟寬廣、包容力強。曾經有大臣含蓄地向憲宗報告梁芳的貪污行徑，憲宗笑一笑說：『梁芳是貴妃的聽差，朕都包容他，你也就包容一些吧！』

梁芳黨羽之中，有一個名叫錢能的最爲貪婪，錢能總是自言自語：『我姓錢名能，若是不能賺錢，豈不辜負了這個美名。』

錢能曾經奉派到雲南，所到之處，無不盡力搜括，連個小販也不放過。雲南有個小攤專門賣檳榔，生意不惡。於是，找了個人把招牌掛起來，號稱爲『檳榔王』。

錢能把檳榔王捉了起來，狠狠打一頓，斥責他道：『你一個普普通通尋常百姓，如何能夠稱王，該當何罪？』

中國人一向喜歡自稱爲王，自稱爲西瓜大王、剪刀大王無奇不有，『檳榔王』的招牌不過是耍噱頭而已，哪裡眞的是朝廷封的王。所以，錢能的問話把小販給弄呆了。

這時，旁邊有個人，跑到小販身旁，靠著小販的耳朵，輕聲地說：『你可知道我們老爺的姓名嗎？』

『檳榔王』像是被菩薩一拍腦袋，靈光一閃，恍然大悟：『對啊，我怎麼沒有想到「錢能通神」？』

小販立刻叩頭：『大人啊，小人的檳榔王不過只是一個噱頭，請大人原諒小人的無知，馬上把招牌拿下來，小人有一盒極爲珍貴的檳榔，立刻呈獻給大人。』

於是，錢能命人監視小販回去取檳榔，不久，小販帶來一只木盒呈給錢能，錢能打開木盒一看，竟然是一木盒的黃金，錢能心中大樂，一拍公案上的驚堂木道：『無知小民，招牌既拿下，恕你無罪，還不快滾。』

梁芳等人的膽子愈來愈大，非但升斗小民『檳榔王』賣幾顆檳榔他要揩油，甚且連明憲宗這個糊塗皇帝的錢，梁芳等人也是能撈就撈。

萬貴妃壞事做盡，雖然自恃憲宗寵愛，不怕別人報復，到了夜深人靜，卻不免害怕起來，那些無辜受害者會不會到閻王爺前去告狀？那可不是皇帝包庇得了的。如果老天有眼，菩薩也來找她算帳，那該如何是好？

梁芳知道萬貴妃的恐懼，其實，梁芳一身罪孽，自己又何嘗不怕報應？因此，梁芳找來了繼曉和尚。繼曉和尚不是甚麼六根清淨的方外人，他也想要藉機斂財。

『你說，用甚麼方法可以消災積福？』萬貴妃憂慮地問。

『最大的功德，莫過於建造伽藍。』繼曉和尚恭敬地回答。

所謂伽藍，原爲梵語僧伽藍摩的簡稱，意思是衆僧居住的園林，後來用爲佛寺的別稱。

繼曉接著說：『貧僧知道，最大的伽藍是在南天竺，他們用一百頭象，馱著大批黃金，鋪在地面上，建築成富麗堂皇的伽藍。』

『黃金鋪地不可能，但是我們建造的佛寺，可也不能夠寒傖。』萬貴妃道。

梁芳接口道：『那是當然，否則，如何顯出貴妃娘娘的虔誠。』在萬貴妃的想法之中，佛寺用的黃金愈多，愈能夠減少她的業障，反正，國庫之中多的是黃澄澄的金塊。

這一下子，繼曉和尚可不得了，從包攬工程到採購木料，樣樣中飽，當然，萬貴妃與梁芳等人拿得更多。

萬貴妃終於建造了氣派宏偉的大寺，她自認爲功德圓滿，卻挖空了整個金窖，她一點兒也不後悔。

【第873篇】梁芳搬空金窖。

太監梁芳等人，為了討好萬貴妃，不但千方百計搜集名珠首飾，並且建造寺廟，為萬貴妃立功德消罪孽，用錢如泥沙。

有一天，明憲宗忽然興起，對梁芳說：『朕想到後宮金庫瞧瞧去。』

梁芳面有難色，搓著手道：『金庫陰森森的，萬歲爺還是別去了。』

『不礙事的。』明憲宗興致盎然。

於是，由乾清宮總管太監韋興引導，梁芳帶路，到達了後宮金庫，明憲宗多年未來，記憶之中，歷朝累積下來的黃金，一共有滿滿七個金窖。可是，當明憲宗進入金庫，驚奇地發現庫內竟然是空空如也。『咦，怎麼金子全搬空了？』憲宗望著空庫房。

韋興沈默一旁，不敢開口，梁芳硬著頭皮道：『沒有辦法，建立大永昌寺、顯露宮，以及大大小小的祠廟，樣樣都需要花錢，可是，這也是貴妃娘娘爲萬歲爺祈福啊。』

假如明憲宗稍有一點氣魄，他就該大吼一聲：『蓋幾座廟也不至於把金窖搬空。』但是，憲宗是個軟弱的人，凡是遇到了與萬貴妃有關的事只會低頭。

明憲宗轉念一想，空了就是空了，補也補不回來，所以，故作瀟灑道：

『我是胸襟很寬、很有包容力的人，怕只怕後人可不像我一般好說話。』憲宗的意思是，等到太子即位，若是發現此事，恐怕就要找你們算帳了。

梁芳一聽，臉色發青，不再吭聲，然後，梁芳飛快地通報萬貴妃。萬貴妃怔怔地望著梁芳，半天說不出話來，過了半晌，又回復潑潑辣辣的氣勢：『我怕甚麼，我這是在做功德，菩薩一定會保佑。』

沒錯，萬貴妃對繼曉和尚是有求必應，但是，慷公家之慨，修自己的功德，修到了搬空整個金窖，未免過分。更讓萬貴妃寢食難安的是，當今太子阿孝，他的生母紀小娟受到萬貴妃的迫害，委委屈屈在安樂堂中生下阿孝，直到阿孝六歲，母子才見天日，紀小娟封妃不久，又被萬貴妃害死，這是萬貴妃心中的一根刺，時時刻刻刺得她心痛。

梁芳在一旁，悄悄提醒萬貴妃：『娘娘，太子已經十六歲了，再不廢立，恐怕就來不及了。』

『嗯！』萬貴妃用力地咬一咬嘴唇：『對，這件事不能再拖下去了。』

於是，當天晚上，萬貴妃就鐵青著臉，一言不發地坐著歎氣，明憲宗最怕萬貴妃這一著，這叫做山雨欲來風滿樓，表示萬貴妃要開始發脾氣了。

明憲宗怕怕地走到萬貴妃的身旁，扯一扯她的衣袖：『怎麼啦？』

『還說怎麼啦？』萬貴妃『嘩』的一下開始發作了，她指著明憲宗的鼻子破口大罵：『你兩歲就是我抱大的，也不曉得爲我想一想。現在的太子，七、八歲就不肯吃我辛苦做的點心，擔心我會害死他。現在，他已經十六歲了，哪一天當了皇帝，他一定會用毒藥害死我，你既然眼睜睜地看著這一切發生，那我不如現在就去見閻王爺。』

說著，萬貴妃掏出一包藥粉，就要往嘴裡送，明憲宗嚇壞了，一個箭步向前，把萬貴妃抱住，藥粉撒了一地。

『你別怕。』憲宗用溫柔的語調安慰萬貴妃：『你放心，我一定去辦，不如改皇四子祐杭爲太子。』

『就是嘛。』萬貴妃回嗔轉喜，滿意地笑了。

『那麼，是不是明天一大早就廢太子？』萬貴妃逼問。

『這……』明憲宗婉言解釋：『廢太子是一件大事，要挑選適當的時機，朕既然答應你，又何必急在這一兩天。』

萬貴妃杏眼圓睜：『那，萬一你明天就死了，我怎麼辦？』

這句話相當刺耳，也只有萬貴妃才如此毫無忌憚。

『你今天不答應我，今晚不要睡覺了。』

萬貴妃聲音好大，嚇壞了明憲宗。

『好，好，好。』明憲宗呵欠連連，疲倦到了極點，『你放心，我明天一大早就去辦。』

萬貴妃『哼』了一聲，似乎不太相信。

這一夜，明憲宗輾轉難眠。

閱讀心得

【第874篇】

懷恩力保太子。

萬貴妃逼著明憲宗非把太子祐樘（小名阿孝）廢掉，改立皇四子祐杭。祐杭的母親邵宸妃，說起來是個幸運兒，竟然沒有受到萬貴妃的排擠與陷害。

事情是這樣的，想當初，萬貴妃只要聽說宮中誰有了孕，不是逼著飲藥墮胎，就是迫著跳樓自盡，反正，她自己既沒有生兒子，宮中別的女人誰也別想順利生子。

後來阿孝出現，阿孝生母紀淑妃被害死，阿孝受到周太后嚴密保護，居然對萬貴妃說：『害怕點心中有毒不敢吃。』萬貴妃一氣之下，發了重誓：『我決意用盡一切力量，絕不讓這個可惡的小鬼當上皇帝。』

既然萬貴妃害不成阿孝，只好另謀他圖，培植新人，換掉阿孝。主意已定，萬貴妃開始多方物色佳麗，充實後宮，希望憲宗能夠多生幾個兒子與阿孝較勁。

萬貴妃對憲宗說：『外界的人都批評我善妒，其實我的胸襟最寬。』

『是的，是的。』憲宗言不由衷應著。

萬貴妃接口：『你何不去瞧瞧近來送入宮的美女。』

『此話當眞？』明憲宗驚喜萬分。

萬貴妃看著憲宗一臉興奮的表情，酸味直衝胸口，若在以往，她早就要發火了，若不是要除去阿孝，怎能容許那些個『妖精』入宮。萬貴妃強忍妒火，裝出一副笑臉道：『當然是眞的。』

儘管萬貴妃如此篤定，明憲宗還是半信半疑，心中也沒有抱太大的希望，在他看來，準是找來一些醜八怪，否則，萬貴妃豈能容忍。

沒想到，明憲宗這一回竟然猜錯了，送入宮的美女，個個容貌端正，尤其是一位姓邵的小美女，堪稱人間絕色，她膚色勝雪，兩頰微瘦，眉彎鼻挺，一笑兩頰顯出淺淺兩個梨渦，憲宗看得發呆。

這個姓邵的小姑娘，是浙江昌化人，家中清貧，被父親邵林賣給鎮守太監，原來準備送給某貴人，後來聽說宮中選美女，她實在是美中之美，大家都說：『西施再世，怕也不過於此。』這就送入了宮。

萬貴妃見憲宗那痴痴迷迷的模樣，心裏好氣，但是爲了要鏟除阿孝，便慫恿明憲宗『何不上前，看個清楚。』

憲宗走上前，邵美人畢竟只有十五歲，羞羞怯怯低下頭，臉上兩朵紅暈，憲宗靠近，香澤微聞，心中甜甜的，不禁神魂飄蕩，幾乎醉倒。立刻封爲邵宸妃，第二年，生下一子，名爲祐杭，聰明乖巧，深得憲宗的疼愛。

這一切，全是萬貴妃一手安排，現在，萬貴妃逼迫憲宗，讓祐杭正式取代阿孝爲太子。

明憲宗被萬貴妃吵了一晚上，頭昏腦脹，精神不濟，第二天一大早，憲宗把司禮監懷恩找來，命令他草擬廢太子的手詔。

當今太子身世奇特，千古未有，由於明憲宗深懼貴妃河東獅吼，紀小娟在安樂堂中偷偷生下一子，幸得懷恩、吳廢后之助，千辛萬苦把孩子帶到六歲，方才重見天日。

太子出現以後，紀小娟封爲淑妃，隨即被萬貴妃害死，懷恩每憶及此，總是老淚縱橫，如今明憲宗要廢太子，他十多年來憂心之事，終於要廢除了，他不能依從。

因此，懷恩大膽地回覆明憲宗：『奴才不能奉詔。』

『你，好大的膽子啊。』皇帝震怒了。

懷恩跪在地上說：『萬歲爺如果廢立太子，恐將會動搖國本，造成朝野不安。』

『你，居然教訓朕。』憲宗更生氣了。

『奴才是擔心言官們到時候紛紛上奏，畢竟太子謙恭好學，從無任何失德之處。』

『這……』明憲宗遲疑了。

『何況有鍾同在前。』懷恩又補了一句。

原來，景泰六年時，當時憲宗爲太子，憲宗是明英宗之子，英宗因土木堡之變，流落瓦剌之手，景帝爲了一己私心，把憲宗太子名稱廢掉，改爲沂王，並且，景帝以親生兒子爲太子。

當時，有一個正直的朝臣鍾同上書反對，景帝把鍾同逮捕，杖死於錦衣衛。

後來，英宗復辟，憲宗又當了太子，憲宗即位以後，爲了表揚鍾同，把鍾同的牌位放在忠節祠中，供人膜拜。

假如過去有如此忠烈的鍾同，難保以後不會再有不怕死的鍾同，再說，言官們若是舉鍾同的前例，憲宗該如何回答，還眞是一個難題。

因此，憲宗一揮手道：『再說吧，反正是非廢太子不可。』

閱讀心得

【第875篇】明憲宗扔硯臺。

明憲宗接受萬貴妃的建議，想要廢掉太子祐樘，改立邵宸妃之子祐杭，老太監懷恩爲此惴惴不安。

懷恩的確是歷史上少見的好宦官，他極有正義感，甚且敢於頂撞皇帝。例如員外郎林俊性情耿直，上書憲宗主張把梁芳與繼曉和尚下獄，此二人皆爲萬貴妃身邊一等一的紅人，明憲宗氣得要命，把正直的林俊逮捕入獄。

由於林俊的言詞激烈，明憲宗愈想愈不是滋味，想把林俊處死洩憤，懷恩力爭，明憲宗火了，順手拿起硯台就往懷恩頭上擲去，懷恩額頭鮮血淋漓，滿臉墨汁，狼狽萬分，懷恩嚇得跪在地上，嚎啕大哭不止。

憲宗心煩道：『還不快滾！』

懷恩連滾帶爬了出來，回到房間，敷好了傷口，洗乾淨臉上的墨汁，卻難過得病倒了。

明憲宗事後回想，也覺得自己過分了些，懷恩畢竟是忠心耿耿的老宦官，於是，派了醫生給懷恩看病，並且免了林俊的死罪。

但是，這一回，憲宗想要換太子，懷恩意圖打消憲宗的心意恐怕不容易，到底這是萬貴妃長久以來的堅定目標啊。

懷恩煩惱極了，他信步走到了玉熙宮，決定找吳廢后商量商量，吳廢

后長得圓圓胖胖，一臉和氣，心思卻極爲細密，當初，太子躲在安樂堂中長達六年之久，若不是吳廢后與懷恩，一內一外嚴密保護，不早被萬貴妃給殺害了。

『吳娘娘別來可好！』懷恩向吳廢后叩安。

『好得很，怎麼不好，原以爲被萬胖子害了，就只能在安樂堂中待一輩子，不想還有今天，豈有不好之理？』吳廢后依然一派樂天，不見老態，皮白肉細，風度更佳。

懷恩長長吁了一口氣：『可是，太子危險了。』

『怎麼啦？』吳廢后驚怔。

待懷恩詳詳細細說明原委，兩手一攤道；『這下子，難辦了。』

吳廢后反而笑盈盈的：『懷恩，不是我說你，其實，誰當太子，對你來說，又有甚麼差別，你已經做到了司禮監，在宦官之中該是最高的，幹甚麼去惹萬歲爺與萬胖子的不開心。小心別丟了司禮監，或者萬歲爺再丟你一塊硯台，頭上腫了一個大包！』

懷恩摸摸額頭的傷痕，雖已結疤，用力壓去，仍然會隱隱作痛，懷恩結結巴巴道：『可是，可是，廢立太子，動搖國本，可憐那紀淑妃熬得多苦，死得多慘啊。』懷恩聲已哽咽。

『我跟你開玩笑的。』吳廢后笑著打斷了懷恩的話，慢條斯理道：『其實，這事倒也不難辦，只要邵宸妃堅決反對就好了。』

『邵娘娘幹甚麼要反對自己兒子當太子？』懷恩不解地望著吳廢后，

吳廢后也不回答。隨即，懷恩一拍腦袋：『對了，如果是我，我也不願意母以子貴，還是吳娘娘智慧過人。』

接著，懷恩做了一番安排，見到了邵宸妃，他正色道：『有人要害邵娘娘，慫恿萬歲爺更換太子，讓皇四子繼承大任。』

邵宸妃自然知道這件事，也暗自盼望這件事成功，誰不想自己的兒子做太子，將來繼承皇位，自己就成了皇太后，這怎麼能算害她呢？

邵宸妃用疑惑的大眼睛，不明白地瞅著懷恩。她的大眼睛黑白分明，長睫毛如一排扇子般眨上眨下，懷恩心想，如此美人兒，難怪萬歲爺也想用更換太子來討好了。

懷恩輕描淡寫道：『娘娘忘記了太子生母紀淑妃怎麼死的嗎？因爲

萬娘娘不願意日後向紀淑妃磕頭，所以要把紀淑妃害死，那麼，萬娘娘是不是願意向邵娘娘磕頭，恭恭敬敬喊一聲皇太后呢？』

邵宸妃一聽此話，一股涼意自腳心竄到頭頂，臉色慘白，她對懷恩說：『謝謝懷公公的提醒，我們母子不敢有此痴心妄想。』

邵宸妃心忖，比起紀淑妃，自己實在是老天爺格外眷顧的幸運兒，快別不知足了。

因此，邵宸妃不斷撒嬌，千託萬請，拜託憲宗千萬別廢太子。

就在此關鍵時刻，突然傳來消息，山東泰山地震，憲宗大驚，朝廷不安。原來，明太祖朱元璋曾經在洪武三年封泰山爲東岳，象徵太子東宮，所以，泰山地震表示東宮不穩，天地爲之震撼。

左傳中有一句話：『國之將興，神明降之，監其德也；將亡，神又降之，監其惡也。』古人都是很迷信的，明憲宗認爲這是老天預警，嚇得不敢再提廢太子之事，可是，憲宗也知道懷恩在保護太子，爲了消氣，把懷恩派到了鳳陽，擔任鎮守太監。

【第876篇】

明孝宗放棄報仇。

明憲宗原先準備接受萬貴妃的建議，廢掉太子祐樘，改立邵宸妃之子祐杬，突然之間，象徵東宮的泰山發生了強烈的地震，嚇得憲宗暫時不敢再輕舉妄動。

明憲宗安撫萬貴妃道：『別急，事緩則圓慢慢來，過一陣子，等到大家都忘掉這件事，再辦也不遲。』

萬貴妃繃緊著臉，不肯說話，眼中顯露著無比的威光。明憲宗很害怕，不斷地偷覷萬貴妃的表情，心中在想，還是早點把此事辦妥吧。

但是，過了沒幾天，忽然，泰山又傳出災變，這回地震更加嚴重，一千多間民宅倒塌，言官們紛紛上奏，要求皇帝自省。

泰山是關東最高的山，自古被認為天下第一高峰，距天最近，帝王登泰山祭天。同時，泰山也比喻為社會中具有影響力的傑出人物。禮記檀弓篇中有一段：『孔子歌曰：泰山其頹乎，梁木其壞乎，哲人其萎乎。』

這麼一座聖山，若是倒塌了，那麼，明憲宗就成了千古罪人。明憲宗慌了手腳，他急得方寸大亂，不斷自責：一定是老天爺知道我想更換太子，所以大發脾氣，造成劇烈的地震。

於是，臉色發白的明憲宗，雙腿發軟地趕緊下了一道手詔：『嗣後有

言東宮是非者，立斬無赦，著司禮監通諭二十四衙門及京外各鎮守太監知之。』

明憲宗這道手詔，最主要是希望能消除老天爺的怒氣，拜拜天，千萬別再來地震了。可是，萬貴妃看到手詔彷彿青天霹靂，一下子就病倒了。

以萬貴妃的性格，她絕對不會容許邵宸妃這個妖精入宮，更無法忍受邵宸妃與憲宗親熱生子，憲宗是她一個人的，她非要霸佔到底，若不是自己生不出兒子，非得靠邵宸妃之子，換掉她的眼中釘，她才不肯眼睜睜容忍十多年。如今，希望落空，萬貴妃血壓急遽升高，突然中風，來不及搶救，便在成化二十三年春天去世。

明憲宗打從有記憶開始，就在萬貴妃的懷裡長大，萬貴妃是他的奶媽，是他的貴妃，是他的一切，縱然萬貴妃脾氣極壞，總是明憲宗心目之中唯一的親人，唯一能夠保護他，與他同站在一條線上的力量，如今萬貴妃走了，明憲宗黯然傷神：『萬侍長去了，我也將要跟著去了。』

萬貴妃過世之後，明憲宗輟朝七日，七日以後，雖然恢復上朝，卻了無生意，到了八月發病，短短十天之間，藥石罔效，駕崩之時，不過只有四十一歲。

國不可一日無君，太子即位，是爲明孝宗，以明年爲弘治元年，登基時僅有十八歲，卻是一位恭儉有制，勤政愛民的好皇帝，這是明朝中葉一段小康之世。

對於明孝宗而言，萬貴妃既是他殺母仇人，又三番兩次加害於他，還差一點讓他繼承不了皇位，想像之中，明孝宗一定恨她入骨，甚且明憲宗生前都說：『怕後人不像我一般好說話。』因此，明孝宗一即位，立刻有人起鬨道：『該有好戲可看了。』

出人意外的，明孝宗竟然高抬貴手，放過萬貴妃一馬，他並沒有削去萬貴妃的謚號『恭肅端愼榮靖皇貴妃』，因爲他不願意因此暴露明憲宗失德，甚且，萬貴妃的家屬亦免去一死，僅是把她三兄弟萬喜、萬通、萬遠革了職。

明孝宗身世特殊，自小在安樂堂中成長，他看到冷宮中的妃嬪燒香拜佛祈求來生。六歲以後，重見天日，親愛的母親紀淑妃卻遭迫害，不平凡的際遇與困難，促成孝宗的早熟，他也成爲了虔誠的佛教徒。

由於鑽研佛法，久而久之，孝宗看萬貴妃，逐漸泯除仇恨，只剩下悲憫，悲憫萬貴妃是個在慾海之中沈浮的可憐蟲，不值得與她計較，何況她已死了，就讓一切仇恨隨風而逝吧！

明孝宗雖然大度大量，可是朝廷賜給萬家的寶物，卻不能不收回。萬貴妃的父親萬貴，原先是管五個小兵的小官，後來因爲萬貴妃的原因，做到了錦衣衛指揮使，萬貴原是個本分的老實人，每次收到朝廷送來貴重的禮物，總是憂形於色，『福氣過了，災禍就要來了，不曉得以後會如何。』所以，萬貴不許子弟們使用賜物，只是登記下來放好，大家都笑萬貴迂腐。

誰知竟如萬貴所料，萬家三代的誥封被褫奪，二十三年中所賜的內帑與珍物，奉旨歸還。

不過，因爲萬家兄弟平日搜括過多，依然是個豪富之家，這不能不說是明孝宗的厚道了。

閱讀心得

【第877篇】

明孝宗報恩。

明孝宗即位，朝廷內外預測，殺母之仇不可不報，明孝宗就算不對萬貴妃予以鞭屍報復，她三個幫兇的兄弟萬喜、萬達、萬通萬難逃一死也。豈料，明孝宗僅僅將他三人免職，大出衆人意料之外，於是，朝臣七嘴八舌，提醒孝宗萬貴妃是如何如何的陰險，明孝宗的童年是如何如何的悲慘，君子報仇，三年不晚等等。

明孝宗淡淡一笑：『果眞是君子，何必非要報仇，萬娘娘費盡心機，仍然阻止不了朕之即位，這就是老天爺對她做的最大懲罰。』頓了一會兒，明孝宗繼續道：『朕天天在想，假如朕的母親還健在，知道朕終於即位，不曉得該有多麼開心。』一提到母親，明孝宗總要勉強忍住，否則淚水必然不斷湧出。

明孝宗的童年奇特，中國歷史上從來沒有一個皇帝像他這樣，誕生於安樂堂冷宮，養於秘室之中，直到六歲方才第一次見到陽光，重建天日。六歲雖小，已早有記憶，孝宗的童年，在旁人眼中坎坷辛酸，可是小時候的他，可不覺得有甚麼痛苦，紀淑妃對他愛護備至，一天到晚把他摟在懷裡，摸摸他柔軟的頭髮，吻他的臉頰，輕輕地唱著兒歌，躺在媽媽的身邊又溫暖又舒適，明孝宗回想起來，覺得好甜蜜。

後來，他們母子終於得見憲宗，可是，兩個月後，紀淑妃暴斃，死因成謎，明孝宗痛失母親，他記得曾經嚎啕痛哭，他不要穿漂亮的衣服，他不要吃好吃的點心，他寧可母親活回來，帶著他再回到陰暗潮濕的安樂堂之中，過屬於他們母子單調溫馨的生活。

可嘆人生無常，事與人違，這一切都是萬貴妃作孽，但是，明孝宗並不恨萬貴妃，他腦中不停打轉的是，該怎麼報答母親的娘家，讓他們享受一些榮華富貴。

當然，明孝宗報恩的頭件事，就是把因爲反對憲宗廢太子，被謫斥居鳳陽的懷恩找回來，仍掌司禮監。想當初，若非懷恩拚死相助，他們母子大概就喪生於安樂堂之中。

除了懷恩，吳廢后亦功不可沒。由於明憲宗廢了吳皇后之後，又立了王皇后，王皇后仍然健在，孝宗不能廢其名號，無法讓吳廢后再爲正后，不過，一切膳食禮儀，吳廢后完全與太后一般，每天早早晚晚，孝宗都前來問安。

吳廢后每次都唏噓感歎道：『假如小娟（紀淑妃）還在，不曉得該怎麼開心哪，想想看，安樂堂一段日子，小娟實在是既委屈又可憐。』

『可是，朕記憶之中，母親很少哭，總是笑咪咪的。』孝宗也跌入了往事。

『這就是小娟了不起的地方，她覺得你已經夠可憐的，也不曉未來命運如何，她永遠儘可能地讓你有個快樂的母親，彌補種種的不幸。』吳廢后說著，聲音又哽咽了。

人死不能復生，明孝宗即使貴爲皇帝也有諸般無奈，他下令追謚紀淑妃爲『孝穆慈慧恭恪莊僖崇天承聖純皇后』，一共用了十三個字尊崇母親，並且遷葬茂陵，與父親（憲宗）同穴，完成紀淑妃生前不可能達到的心願。

同時，孝宗仿效宋仁宗，訪求母家親族，爲母親光耀門楣。

宋仁宗母親李氏，原爲劉妃之婢，生下一子，劉妃據爲己有，李氏不敢吭聲。

宋眞宗去世之後，十三歲的仁宗即位，劉太后垂簾聽政，英明果斷，國勢蒸蒸日上。

後來，李氏去世，劉太后接受宰相呂夷簡的建議，以一品之禮埋葬李氏，不過，仁宗始終不曉另有親娘。

一直到劉太后死了以後，才有人告訴宋仁宗他的身世，仁宗悲痛萬分，不過，他接受范仲淹的意見『掩劉太后小過，全其大德。』尊劉太后爲章獻太后，尊生母爲莊懿皇太后，並且訪求母家親戚，大施恩澤。

這一段史實，到了包公案之中就成爲了膾炙人口的『貍貓換太子』——李妃先生下一男嬰，劉妃爲了害她，把嬰兒換成貍貓，眞宗皇帝發現李妃居然生下一妖怪，把李妃打入冷宮。

宮女寇珠不忍心把小嬰淹死，請宦官陳琳悄悄抱出宮外撫養。

六年之後，劉妃生下的兒子夭折，眞宗十分地痛心，王爺這才把李妃之子帶回宮中，父子相見皆大歡喜。

後來，包公在陳州放糧之時，流落在外的李妃當街喊冤，經過包公一番巧妙的安排，宋仁宗方才母子團聚。

『貍貓換太子』的故事乃是小說家編出來的，我們前面也說過了。宋仁宗即位之時，他的生母實在已死了，宋仁宗懷念母親，便發生了一些尋找母家親戚的故事。

明孝宗之所以厚待萬家，一方面是效法宋仁宗之寬大，他更想師法宋仁宗，訪求母家親族，在他們身上，追尋親娘的音容笑貌。

閱讀心得

【第878篇】眞假太后家族。

明孝宗即位，子欲養而親不在，他對紀太后的思念與日俱增，時時幻想，假如人死而能復生，不曉得母子二人該有多少苦盡甘來的喜悅。

孝宗經常默不出聲，淚流滿面，每次遇到這種尷尬，總是又在思念母親了，皇帝如此重感情，這是宮廷裡少有的現象，太監陸愷看在眼裡，決定利用這個機會，冒一次險。

這個陸愷，與紀太后一般，原是廣西賀縣人，他本姓李，廣西土話的發音，紀與李是相同的，因此，陸愷大膽地找了姐夫韋父成出面，冒充紀太后的哥哥。

韋父成覺得這個主意挺誘人的，他一向膽子大，嘴巴會說，於是興沖沖地跑去求見賀縣的縣官，對縣官說：『小的韋父成，原本姓紀，只因爲胞妹在成化年間俘入掖庭，授以女史，音信全無，後來聽說胞妹爲萬貴妃所妒，惟恐惹禍上身，方才改姓韋。如今，萬貴妃已死，這才斗膽呈報。』

賀縣縣官見韋父成講得天花亂墜，他也知道朝廷在訪查紀太后親族，一點也不敢怠慢，立刻走下來，親熱地攙著韋父成，待以上賓之禮，並且上報廣西巡撫。

廣西巡撫心想，賀縣偏僻小地，竟然知道宮闈秘辛，肯定是不會假的

了，馬上很巴結地視爲皇親國戚，甚且把韋父成所居的鄉里改名爲『迎恩里』。

如此一來，轟動了整個廣西，個個眼紅且不以爲然。因此，李父貴、李祖旺叔姪二人便商量道：『姓韋的尚且冒充姓李，何況咱們眞的姓李。』一不做二不休，他倆便連夜僞造了一份『紀氏家譜』，根據家譜，不得了，紀父貴是太后的叔叔，紀祖旺則爲太后的堂兄。

地方官不疑有他，連夜飛報喜訊，孝宗開心極了，命將他二人護送至京城，並且分別改名爲紀貴與紀旺，授以錦衣衛指揮同知及錦衣衛指揮僉事，同時『賜予第宅、金帛、莊田、奴婢。』又派遣官員，前往廣西賀縣，根據紀貴、紀旺指出的地點，修繕紀氏祖墳，設置守墳戶二十家，免除徭役，耕種祭田。

由於紀貴、紀旺鬧得既貴且旺，把韋父成給比下去了，韋父成非常妒忌，上書檢舉他二人爲冒牌貨。明孝宗派了太監郭鏞偵察此案。

郭鏞是個老太監，他記得紀太后當年長得端莊秀麗，笑起來甜甜的，也聽她說過，只知道自己是賀縣人，姓紀，因爲被擄來時年紀太小，根本不記得還有甚麼親族。但是到底郭鏞算是親耳聽過紀太后談及身世，因此，現在就成爲重要的角色了。

韋父成能言善道，郭鏞幾乎被他給唬過去了。後來，郭鏞問韋父成：『你聽說妹妹封了妃子，是何時的事？爲甚麼不前來認親。』『噢。』韋父成掐著手指算了算，『那是成化十一年年底之事，因爲來人說，萬貴妃很兇，所以小的不敢前往京師。』

『你確定是年底？』郭鏞反問。

『對，年底時一位公公回賀縣掃墓之時，親口對我說的。』

『大膽刁徒！』郭鏞破口大罵，『來人既告訴你，你妹妹封妃，怎不告訴你，你妹妹封妃不久，六月就暴斃了。』

『這……』韋父成以手掩口，一下子答不上話來。

『你又憑什麼說，紀貴與紀旺都是假冒充的？』

韋父成自己難以圓謊，拆破他人的假面具倒容易，他立刻又精神抖擻道：『郭公公你想，家譜是中原世家大族才有的玩意兒，咱們窮鄉僻壤，那來甚麼家譜？』

由於明孝宗曾經說過：『寧受百欺，冀獲一是。』因此，韋父成雖被拆穿，郭鏞仍准韋父成用公家的驛馬回廣西賀縣，並且賜給他一百兩銀子。消息傳出以後，廣西人民個個心動，原來假冒不成，亦有賞賜，於是不斷有人前來攀龍附鳳，孝宗派遣給事中孫珪、御史滕祐微服暗訪，深入猺獞深山查訪。

一年之後，他二人回返，滿臉憔悴，三分像人，七分像鬼，最糟糕的是，經過縝密調查，非但紀貴、紀旺是冒充的，紀太后親屬一個不存。

孝宗聞訊，傷心極了，他是明理之人，也不願勞民傷財再繼續被騙，於是，接受臣子的建議，賜予太后父母封號，在桂林立祠，並由大學士尹直撰寫哀冊，其中有一句：『增宋室仁宗之痛。』明孝宗每次祭拜，每次念到這一句，覺得自己比仁宗還慘，連母親親戚都找不著，忍不住又哭得兩眼通紅。

閱讀心得

【第879篇】

王恕理直氣壯。

明孝宗即位以後頭一件事，就是把遠謫鳳陽的懷恩召回京師，繼續擔任司禮監。

懷恩稟報明孝宗的頭一件事，就是『趕快把王恕召回京師，先帝將王恕辭官一事，已在民間鬧得沸沸騰騰，大家都把王恕視爲偶像一般崇拜。』

明孝宗也素知王恕的美名，立刻從善如流，召用他爲吏部尚書。

王恕是正統十三年的進士，性格方正，嫉惡如仇，一向敢做敢當。成化十二年，號稱爲『錢能通神』的太監錢能鎮守雲南，商輅建議找有威望的大臣擔任巡撫，用以鎮壓錢能，這就派了王恕前往。

王恕與錢能，一個廉潔，一個愛錢，自然彼此嚴重不合。王恕上了一個奏章給明憲宗：『以前交趾地方因爲所鎮非人，以至於陷落，今日雲南之事又甚於以往，陛下何必愛惜一個錢能，不以安定邊疆爲重。』

錢能是梁芳的心腹，梁芳是萬貴妃的心腹，萬貴妃又控制著明憲宗的一舉一動，因此，雖然王恕講得頭頭是道，條條是理，明憲宗仍然把王恕調爲南京都察院。

後來，到了成化二十年，王恕改任南京兵部尚書，當時錢能也守備南京，冤家路窄，兩人又對上了。

錢能心裡有點兒毛毛的，他對旁人說：『王公（指王恕）天人也，我不過敬事而已。』

王恕一貫理直氣壯，譬如說萬貴妃爲減輕罪孽，大規模建立佛寺，林俊反對，憲宗把林俊下獄，王恕聲援林俊：『每蓋一座廟，必須移民數百家，耗費公帑數十萬，林俊所言有理，不宜論罪。』

明憲宗看到奏章，相當不悅，王恕從來不管皇帝高不高興，反正他認爲該說的就一定非說個清楚不可，儼然成爲當時的意見領袖，全天下都崇拜他的正直。

當時，朝廷裡若有不合正義之事，必然有人問：『王公爲甚麼還不開口？』十之八九得到的回答是：『王公的上疏一定馬上就會到。』果然，不久之後，王公的奏章就來了。所以，社會上流行一句謠歌：『兩京十二部，獨有一王恕。』

明憲宗不是甚麼奮發有爲之君，忠言逆耳，對王恕十分頭疼，又因爲憲宗懦弱，也不方便對王恕發脾氣，可是心中又十分厭煩王恕，嫌他意見太多。

有一天，明憲宗終於想出一個辦法，當時南京兵部侍郎馬顯請求退休，明憲宗在這則奏章上，加批一句『准許王恕退休』，王恕就這般莫名其妙丟了官。

王恕本是瀟脫之人，他倒是無所謂，回到了家鄉。但是，人們懷念他，名氣更大，尤其是凡有人彈劾劉吉，必然推薦王恕替代。

劉吉與王恕的作風恰恰相反，凡事專揀皇帝喜歡的才說，他在內閣十八年，因為營私舞弊，經常被言官彈劾，反正劉吉臉皮厚，加上憲宗支持，官位始終很穩，所以，刻薄的言官為劉吉取了一個難聽的外號——『劉棉花』，意思是劉吉與棉花一般，禁得起彈，而且愈彈愈高。

明孝宗接受了懷恩的建議，把王恕找了回來，特召為吏部尚書，又聽說前南京兵部尚書馬文升賢正，也召為左都御史。

王恕既然又回到朝廷，並且擔任吏部尚書，他可是要大幹一場的，平劇中的大官，經常稱為『吏部天官』，本來，在明朝，吏部是最重要的一部，吏部尚書權位自然不小。

但是，劉棉花不滿王恕，始終與他作對，王恕舉薦不少賢才，劉吉便以閣臣的身分予以百般阻撓，例如陝西巡撫出缺，王恕推薦河南布政使蕭禎，劉吉便反對，於是孝宗也接受了劉吉的意見。

王恕做不下去了，他上了一則奏章，內容大意：『陛下不以臣不肖，任臣於詮部，假如臣推舉的人才不佳，那是臣的罪過。今天陛下安知蕭禎不才，竟然拒絕，這一定是左右近臣的意思。臣不是一個會承望風指，固守祿位的人，而且陛下既然認爲蕭禎不可用，這就表示臣不可用，那麼臣請求告老還鄉。』

王恕的奏章寫得露骨而不客氣。可是孝宗卻能容忍，終於接受了王恕的意見，任命蕭禎爲陝西巡撫，忠言逆耳，孝宗卻能納諫，的確了不起。

閱讀心得

【第880篇】明孝宗敬老尊賢。

明孝宗在位期間，歷史上稱之爲『恭儉有制，勤政愛民』、『朝序清寧，民物康阜』，算是明朝中葉小康之世，史稱爲弘治之治，弘治是孝宗的年號。

明孝宗最大的長處，在於能任用賢臣，歷史上每一個皇帝都自認爲自己用的是忠臣，可沒有誰故意用奸臣，存心把國家搞垮。但是誰忠誰奸，沒有刻在臉上，奸臣又往往甜言蜜語，巴結逢迎，讓皇帝以爲他們忠心。所以方正實在，不擅拍馬的眞正忠臣，經常成爲被排擠的對象。除非，皇帝特別英明，能夠摒棄高帽子的誘惑。

明孝宗正是一位知人善任之君，王恕講話不好聽，但是字字句句都是為了國家，因此，孝宗能夠重用他。

中國歷史上，如王恕一般剛正清嚴、直說敢言的知識份子其實不少，但是如王恕一般幸運者卻不多，若是換了明太祖，像王恕這樣有話就說可危險了。

王恕總共任官四十多年，個性開朗，能吃能睡，他的食量驚人，超過平常人的兩倍，素來健康，直到死的那天，方才食量略減，閉戶獨坐，突然有聲若雷，就這樣歸天了，高壽九十有三。

王恕不但自己有福氣，他舉薦的一些名臣，明孝宗也對他們禮遇備至，

君臣之間，彷彿魚水相合，傳為千古美談。

例如劉健，此人端莊嚴謹，明孝宗非常欣賞他，總是尊敬地稱呼一聲『先生』。

每次劉健蒙孝宗召見，孝宗一定先對太監們說：『你們先下去。』這些太監，平常無事，總愛傳播是非。皇帝幹什麼要他們避開，莫非要談甚麼機密，因此，總是躲在屏風後面偷聽，只聽見孝宗不斷說：『好，好，好』，然後，孝宗會指示屯田、鹽政、馬政該如何興革，想來，劉健提供了不少好的建議。

孝宗對能提供好建議的大臣，特別投緣，經常一談就是老半天，例如劉大夏，孝宗很歡喜與他商討軍國大事。

有一回，君臣之間聊得太愉快了，等到談罷，糟了，劉大夏畢竟年紀大了，跪得太久，膝蓋痠疼，根本站不起來，非常吃力的勉強撐著掙扎著，明孝宗好生不忍，連忙吩咐司禮太監李榮：『趕快攙扶劉尚書出宮。』有了這一次經驗，明孝宗格外體貼，隨時注意大臣們是否身上不舒適。例如張元禎，明孝宗特別讚賞他在經學方面的成就，時時找他來開講經學。張元禎面貌清癯，個子又瘦又小，還不到普通人一半身高，因此，雖然張元禎年歲不小，坐在孝宗面前講課，矮了半截，孝宗好像在聽小朋友教課一般。

一連上了幾堂課下來，孝宗覺得很不自在，他雖然貴爲皇帝，仍然以爲應該尊師重道，因此，孝宗下令：『幫朕準備一張特製的低几。』

皇帝有令，左右自然馬上照辦，卻不知萬歲爺要低几做甚麼。等到下一次張元禎上課之時，孝宗與張元禎，目光可以平視，相差不至於過分懸殊，左右這才了解，明孝宗眞正是用心良苦也。

明孝宗既尊師重道又敬老尊賢，除了王恕之外，劉大夏、戴珊此二位老臣謀國之士，也深深爲孝宗所佩服。

有一次，孝宗召見劉大夏、戴珊面議朝政，孝宗忽然感慨萬千道：『現在不少大臣關起門來，故意表示謝絕送禮，其實，如二位一般清廉正直，就是敞開大門，把客人請到家裡，又有誰敢送禮呢？』說著，明孝宗從懷裡掏出一錠白銀，親手交到劉大夏與戴珊手裡。

劉大夏與戴珊面面相覷，不知該不該收，孝宗輕鬆道：『這麼一點小錢，不過是稍稍幫助你們的清廉罷了。』頓了一會兒，孝宗又加了一句：『你們用不著廷謝，以免遭忌。』（所謂廷謝指的是在朝廷殿堂之上向皇帝叩謝）由此可見得孝宗之細膩體貼。

明孝宗還特別歡喜邀他二人出席造膝宴，所謂造膝宴指的是膝蓋相併，邊吃邊談也。

有一回，劉大夏赴宴前，戴珊對大夏說：『我又老又病，孩子又小，恐怕要比你先走一步，你待會兒見到皇上，爲我美言美言，讓我退休吧，你我是同年好友（同年指的是同一年中進士），一定要幫忙。』

於是，劉大夏在造膝宴中，代爲轉達了戴珊想退休之意。孝宗不答應，他說：『在宴席之中，主人堅決留客，客人還得勉強地留下，難道戴珊就不能勉強爲朕留下來嗎？而且朕以天下事付託愛卿們，如今天下未平，愛卿豈忍言歸？』

劉大夏把這番話轉給戴珊，戴珊哭泣道：『我要死在任上了！』

明孝宗能夠任用老人的圓融智慧，果然重新培養了明朝枯竭的元氣。

閱讀心得

閱讀心得

閱讀心得

閱讀心得

歷代‧西元對照表

朝　　代	起迄時間
五帝	西元前2698年～西元前2184年
夏	西元前2183年～西元前1752年
商	西元前1751年～西元前1123年
西周	西元前1122年～西元前 771年
春秋戰國(東周)	西元前 770年～西元前 222年
秦	西元前 221年～西元前 207年
西漢	西元前 206年～西元 8年
新	西元 9年～西元 24年
東漢	西元 25年～西元 219年
魏(三國)	西元 220年～西元 264元
晉	西元 265年～西元 419年
南北朝	西元 420年～西元 588年
隋	西元 589年～西元 617年
唐	西元 618年～西元 906年
五代	西元 907年～西元 959年
北宋	西元 960年～西元 1126年
南宋	西元 1127年～西元 1276年
元	西元 1277年～西元 1367年
明	西元 1368年～西元 1643年
清	西元 1644年～西元 1911年
中華民國	西元 1912年

國家圖書館出版品預行編目資料

全新吳姐姐講歷史故事. 41. 明代/吳涵碧 著.
--初版.--臺北市；皇冠，1995〔民84〕
面；公分（皇冠叢書；第2398種）
ISBN 978-957-33-1177-5（平裝）
1. 中國歷史

610.9　　　　84000130

皇冠叢書第2398種
第四十一集【明代】

全新吳姐姐講歷史故事〔注音本〕

作　　者—吳涵碧
繪　　圖—劉建志
發 行 人—平雲
出版發行—皇冠文化出版有限公司
台北市敦化北路120巷50號
電話◎02-27168888
郵撥帳號◎15261516號
皇冠出版社(香港)有限公司
香港上環文咸東街50號寶恒商業中心
23樓2301-3室
電話◎2529-1778　傳真◎2527-0904
印　　務—林佳燕
校　　對—皇冠校對組
著作完成日期—1992年01月01日
香港發行日期—1995年09月25日
初版一刷日期—1995年10月01日
初版二十九刷日期—2016年09月
法律顧問—王惠光律師

讀者服務傳真專線◎02-27150507
電腦編號◎350041
ISBN◎978-957-33-1177-5
Printed in Taiwan
本書定價◎新台幣150元/港幣45元